Junie B. Jones
et son p'tit ouistiti

Junie B. Jones
et son p'tit ouistiti

Barbara Park
Illustrations de Denise Brunkus

Traduction originale de Nathalie Zimmermann

Éditions
■SCHOLASTIC

Catalogage avant publication de Bibliothèque et Archives Canada

Park, Barbara
Junie B. Jones et son p'tit ouistiti / Barbara Park;
illustrations de Denise Brunkus;
traduction originale de Nathalie Zimmermann.

(Junie B. Jones)
Traduction de : Junie B. Jones and a Little Monkey Business.
Niveau d'intérêt selon l'âge : Pour enfants de 7 à 10 ans.
ISBN-13 : 978-0-439-94070-2
ISBN-10 : 0-439-94070-2

I. Brunkus, Denise II. Zimmermann, Nathalie III. Titre.
IV. Titre : Junie B. Jones et son petit ouistiti.
V. Collection : Park, Barbara Junie B. Jones.

PZ23.P363Jup 2006   j813'.54   C2005-906689-X

Édition publiée par les Éditions Scholastic,
604, rue King Ouest, Toronto (Ontario) M5V 1E1.

7 6 5 4 3   Imprimé au Canada   09 10 11 12 13

Table des matières

1 / Surprise!

Je m'appelle Junie B. Jones. Le B, c'est la première lettre de Béatrice. Je n'aime pas ce prénom-là, mais le B tout seul, j'aime ça!

Le B, c'est aussi l'initiale d'un autre mot : BÉBÉ!

Je suis en maternelle, moi, mais je sais déjà que ça s'écrit B-É-B-É. Parce que ma mère m'a dit qu'elle allait en avoir un!

Papa et maman m'ont annoncé ça pendant le souper, un soir. C'était le soir où on a mangé des tomates cuites... que je déteste.

— Ton papa et moi, nous avons une surprise pour toi, ma Junie B., a dit maman.

Tout d'un coup, ça m'a fait chaud à l'intérieur. Peut-être que je ne serais pas obligée de manger ces tomates dégoûtantes.

Et puis, j'ai pensé que *surprise*, ça veut parfois dire... *cadeau*! Et ça, les cadeaux, c'est ce que j'aime le plus au monde!

J'ai commencé à sauter sur ma chaise.

— Qu'est-ce que c'est? Est-ce que c'est emballé? Je ne vois rien!

Alors, j'ai cherché sous la table. La surprise était peut-être cachée dessous avec un beau ruban rouge autour...

Papa et maman se sont regardés en souriant. Puis maman m'a pris la main.

— Ma Junie B., ça te plairait d'avoir un petit frère ou une petite sœur?

J'ai haussé les épaules.

— Je ne sais pas... Peut-être...

J'ai regardé sous ma chaise et je leur ai dit :

— Vous savez quoi? Je n'arrive pas à le trouver, moi, ce drôle de cadeau!

Maman m'a obligée à m'asseoir sans bouger. Et papa et elle ont encore parlé de ce bébé.

— Ce sera un peu ton bébé à toi aussi, ma Junie B., a dit papa. Tu imagines? Un petit frère ou une petite sœur pour jouer avec toi? Ça va être amusant, non?

J'ai encore remonté mes épaules très haut avant de les laisser retomber d'un coup et j'ai répondu :

— Je ne sais pas... Peut-être...

Alors, je me suis levée de ma chaise et j'ai couru au salon.

— MAUVAISE NOUVELLE! ai-je crié.

4

IL N'Y A PAS DE CADEAU DANS LE SALON, NON PLUS!

Mes parents sont arrivés. Ils ne souriaient plus tellement.

Papa a pris une grande inspiration et a dit :

— Il n'y a pas de *cadeau*, Junie B. Nous n'avons jamais parlé de cadeau! Nous t'avons dit que nous avions une *surprise*, tu te souviens?

Maman s'est assise près de moi.

— La surprise, c'est que je vais avoir un *bébé*, ma Junie B.! Dans quelques mois, tu auras un petit frère ou une petite sœur Est-ce que tu comprends ce que je te dis?

J'ai croisé les bras et j'ai pris mon air de pas contente. Là, j'avais compris!

— Vous ne m'avez pas acheté de cadeau, c'est ça? ai-je grogné.

Maman a eu l'air très fâché et a dit :

— J'abandonne!

Elle est retournée dans la cuisine. Et papa

m'a demandé de lui faire des *zescuses*.

Une *zescuse*, c'est quand je dois demander pardon.

— Oui, mais maman aussi me doit une *zescuse*! Parce qu'un bébé, ce n'est pas une *merveilleuse* surprise!

J'ai fait une grimace.

— Les bébés, ça sent très mauvais! Une fois, il y en avait un chez ma copine Grace. Il a vomi partout sur lui. Alors moi, je me suis pincé le nez et j'ai crié : « BEUUURK! CE N'EST PAS UN BÉBÉ, C'EST UNE BOULE PUANTE! » Et alors Grace m'a dit de partir.

Quand j'ai fini mon histoire, papa est allé voir maman dans la cuisine.

Et presque aussitôt, elle m'a appelée. Elle m'a dit que si jamais le bébé sentait la boule puante, elle m'achèterait une bombe dé-so-do-ri-san-te rien que pour moi. Et que je pourrais appuyer sur le bouton toute seule. Mais qu'il ne faudrait pas en mettre sur le bébé, même s'il sent le vomi!

— Est-ce que je peux avoir celle qui sent comme une forêt de pins?

Maman m'a fait un câlin et on est retournés à table pour que je finisse mon souper.

Sauf les tomates cuites.

Alors vous savez quoi?

Je n'ai pas eu de dessert!

2/ La chambre du bébé de rien

Papa et maman ont préparé une chambre pour le bébé. Avant, c'était la chambre d'amis. Une chambre d'amis, c'est pour faire dormir les amis dedans. Sauf que nous, on n'a presque pas d'amis qui ont dormi dedans.

Maintenant, s'il y en a qui viennent, ils vont être obligés de dormir sur une table ou quelque chose comme ça!

Dans la chambre du bébé, il y a plein de choses toutes neuves. Parce que papa et maman sont allés faire des courses au nouveau magasin de choses pour les bébés.

Ils ont acheté une commode de bébé toute neuve avec des boutons de tiroir verts et jaunes. Une lampe de bébé toute neuve avec une girafe dessinée dessus. Et aussi une chaise berçante. C'est fait exprès pour bercer les bébés qui pleurent et qu'on ne peut pas faire taire.

Et puis il y a aussi un berceau tout neuf.

Un berceau, c'est un lit avec des barreaux. Comme les cages du zoo. Sauf que le berceau, on a le droit de passer ses mains à travers. Le bébé ne va pas nous attraper et nous dévorer.

Et devinez ce qu'il y a encore de neuf dans la chambre du bébé? Du papier sur les murs, voilà ce qu'il y a! Avec des dessins de jungle : des éléphants, des lions et un gros nippopo-quelque chose.

Et il y a des singes aussi! C'est les bêtes de la jungle que j'aime le plus au monde!

Papa et maman ont posé le papier peint ensemble.

Mon chien Tickle et moi, on les a regardés faire.

— Il est joli, ce papier de jungle! ai-je dit. Moi, j'aimerais bien en avoir du comme ça dans ma chambre! Est-ce que je pourrais en avoir? Hein? Est-ce je pourrais?

— On verra... a répondu papa.

On verra, je sais bien que ça sert à dire non sans dire non!

— Ce n'est pas juste! ai-je protesté. C'est le bébé qui a toutes les choses neuves et moi, j'ai toutes les vieilles affaires!

— Pauvre petite Junie B., a dit maman avec un air de se moquer.

Alors, elle s'est penchée pour me serrer dans ses bras. Mais elle n'y arrivait pas bien. À cause de son gros ventre. C'est là que le bébé habite, pour l'instant. Je les ai prévenus :

— Je ne crois pas que je vais l'aimer, ce bébé de rien!

Maman m'a lâchée d'un seul coup.

— Junie B.! Ne dis pas ça! Bien sûr que tu vas l'aimer!

— Bien sûr que pas! ai-je répondu. Regarde! À cause de lui, je ne peux même plus avoir de câlin! Et en plus, je ne connais même pas son stupide de nom!

Ma mère s'est assise dans la chaise berçante toute neuve. Elle a essayé de m'asseoir sur ses genoux. Mais il n'y avait pas assez de place pour moi. Alors elle m'a juste pris la main pour m'expliquer :

— Ton papa et moi, nous n'avons pas encore choisi le nom du bébé. Nous voudrions un prénom qui ne soit pas trop ordinaire. Tu sais, quelque chose de joli, comme Junie B. Un nom qu'on n'oublie pas.

Alors j'y ai pensé, j'y ai pensé le plus que je pouvais. Et puis, j'ai tapé des mains très fort.

— Je sais! ai-je crié, tout excitée. Je sais! Mme Gutzman! Il y a une madame à la cafétéria de mon école qui s'appelle comme ça! Mme Gutzman!

Maman a froncé les sourcils, un peu comme si elle n'avait pas bien entendu. Alors, j'ai répété :

— MADAME GUTZMAN! C'est joli comme nom, hein? Et puis tu vois, je m'en souviens toujours! Je l'ai entendu une seule fois et je ne l'ai jamais, jamais oublié!

Maman a pris une grande inspiration.

— Oui, ma puce, mais je ne suis pas sûre que « Mme Gutzman » soit un prénom qui convienne à un tout petit bébé...

Je me suis super concentrée, tellement que ça faisait des plis sur mon front, et j'ai encore réfléchi.

— Qu'est-ce que tu dirais de... Toutp'tit? Ce serait un bon nom.

Là, maman a souri.

— Eh bien, disons... disons que ça pourrait être mignon tant que le bébé est petit. Mais comment va-t-on l'appeler quand il aura grandi?

— Euh... Grand Toutp'tit!

J'étais très contente, mais maman a dit :

— On verra...

Ça, ça voulait dire qu'il n'y aurait jamais de Grand Toutp'tit dans la famille.

Après, je n'étais plus tellement contente.

— Quand est-ce qu'il va arriver, ce bébé de rien?

Maman a encore froncé les sourcils.

— Ce bébé n'est pas un « bébé de rien », Junie B.! Et il va arriver très bientôt, alors je crois qu'il vaudrait mieux que tu commences à te faire à cette idée!

Puis papa et elle se sont remis à coller le papier de jungle très joli.

Moi, j'ai ouvert la commode toute neuve avec ses boutons verts et jaunes. Et j'ai examiné les vêtements de bébé tout neufs aussi.

Les affaires du bébé étaient vraiment toutes petites, toutes petites; je n'aurais même pas pu enfiler ses chaussettes sur mon gros orteil.

— Ça sera moi le chef avec le bébé! ai-je annoncé à mon chien Tickle. Parce que je suis la plus grande, c'est pour ça!

Papa a tendu le doigt vers moi. Il a grondé :

— Ça suffit comme ça, mademoiselle!

Mademoiselle, c'est comme ça qu'on m'appelle quand on est fâché contre moi.

Ensuite maman et papa sont allés dans la cuisine pour aller chercher de la colle.

Moi, j'ai regardé dans le couloir pour être sûre que papa ne pouvait plus m'entendre.

— Oui! ai-je dit tout bas. Mais ça sera quand même moi le chef!

3/
Quelque chose
de super formidable!

Hier, il s'est passé quelque chose de super formidable! J'ai mangé de la tarte pour le souper!

De la tarte et rien que de la tarte!

C'est parce que maman est allée à l'hôpital pour avoir le bébé. Et que papa et mamie Miller sont allés avec elle.

Alors moi et papi, on est restés tous les deux tout seuls chez lui. Il n'y avait personne pour nous garder!

Et vous savez quoi? Papi a fumé un vrai gros cigare dans la maison. Pour une fois que mamie n'était pas là pour lui crier : « Oh, Frank, sors de la maison avec cette horreur! »

Ensuite, mon papi m'a fait faire un tour sur son dos.

Et puis, il m'a laissée mettre le nouveau

chapeau de mamie Miller, celui avec la
grande plume brune.

Et j'ai marché avec les souliers rouges à
talons de mamie. Mais comme je suis tombée
dans la cuisine, je les ai enlevés très vite. Puis
j'ai dit, pas mal fort :

— Hé! je pourrais me faire mal à la tête
avec ces stupides de souliers!

Après ça, j'ai ouvert le frigo. Parce que ça
m'avait donné faim, de jouer, c'est pour ça.

— HÉ! ai-je crié. TU SAIS QUOI? IL Y A
UNE GROSSE TARTE AU CITRON ICI,
PAPI!

Alors, papi a sorti deux assiettes et on a
mangé la grosse tarte pour notre souper.

Rien que de la tarte!

Et on ne va même pas se faire gronder.
Parce qu'on va dire à mamie que c'est le chat
qui l'a mangée!

Et puis il y a eu autre chose de très bien.
J'ai dormi dans la chambre d'amis de chez

papi! D'abord, j'ai mis mon pyjama avec des pieds. Ensuite, papi m'a regardée me brosser les dents, surtout la nouvelle dent de devant. Et puis, il m'a mise dans le grand lit d'amis.

— Bonne nuit, beaux rêves, Junie B.! m'a-t-il dit.

C'est juste à ce moment-là que j'ai senti une petite peur à l'intérieur de moi.

— Tu sais quoi, papi? lui ai-je demandé. Il fait vraiment très noir dans cette grande chambre-là. Il y a peut-être des monstres qui se cachent par ici...

Papi a regardé dans toute la pièce. Et même dans le placard.

— Rien à signaler! m'a-t-il assuré. Il n'y a pas le moindre monstre caché!

Il a laissé la lumière du couloir allumée. Pour ne pas que je m'imagine toutes sortes de choses.

Mais je n'ai quand même pas très bien dormi. Parce que je pense bien qu'il y avait un gros bonhomme baveux avec des griffes sous mon lit.

C'est pour ça que, ce matin, j'avais les yeux qui se refermaient tout seuls.

Soudain, j'ai senti une odeur qui les a ouverts d'un coup!

Une délicieuse odeur de gaufres! Papi Miller en avait fait rien que pour moi. Et il m'a laissée mettre le sirop dessus moi-même sans crier une seule fois : « Attention, Junie B.! Ça va couler! »

Après, on a joué jusqu'à l'heure de ma maternelle.

Sauf que juste avant de partir, il s'est passé quelque chose de très amusant. Mamie Miller est rentrée. Elle a dit que maman avait eu son bébé!

Et aussi que c'était un garçon!

Mamie m'a prise dans ses bras et m'a soulevée très haut dans les airs. Elle m'a dit :

— Tu vas l'adorer, Junie B. Ton petit

frère, c'est le plus adorable ouistiti que j'aie jamais vu!

J'ai ouvert les yeux très grand.

— C'est vrai? Vrai de vrai? lui ai-je demandé.

Mais mamie Miller ne m'a pas répondu. Elle m'a reposée par terre et elle s'est mise à parler avec papi.

— Oh! tu vas voir, Frank, a-t-elle dit, il a les doigts et les orteils tellement longs!

J'ai tiré sur le bas de sa robe.

— Longs comment, mamie? Plus longs que les miens?

Mais mamie a continué de parler.

— Et il est poilu! Tu n'imagines pas ça, Frank! C'est une crinière qu'il a! Une crinière toute noire!

J'ai tiré ma mamie par le bras.

— Comment ça se fait, mamie? Comment ça se fait qu'il est poilu? Je pensais que les bébés étaient chauves, moi!

Mais mamie ne me répondait toujours pas.

— Et si tu voyais comme il est grand, Frank! Beaucoup plus grand que tous les autres bébés à l'hôpital! Et il s'accroche déjà à ton doigt quand tu...

Alors là, j'ai tapé très fort du pied.

— EH! JE VEUX QUE TU RÉPONDES À MES QUESTIONS, HELEN! C'EST MON BÉBÉ À MOI AUSSI, TU SAIS!

Mamie Miller n'a pas eu l'air très contente. C'est parce que je n'ai pas le droit de l'appeler « Helen ».

— Désolée... ai-je dit tout bas.

Alors, mamie s'est baissée. Je n'avais plus besoin de crier.

— C'est vraiment la vérité vraie, mamie? Mon frère, c'est *vraiment* le plus adorable ouistiti que tu as jamais vu? Juré, craché?

Mamie m'a serrée très fort contre elle et elle m'a murmuré à l'oreille :

— Oui, ma chouette! Juré, craché!

Ensuite, elle m'a reprise dans ses bras, et on a tourné, tourné, tourné dans la cuisine.

4/ Cricri et Titi...

À la maternelle, ma classe s'appelle la classe numéro neuf.

Là-bas, j'ai deux meilleures amies. Il y en a une qui s'appelle Lucille.

Lucille est assise juste à côté de moi. Elle a une chaise rouge. Et aussi du vernis rouge brillant sur ses ongles tout petits.

Mon autre meilleure copine, c'est Grace.

Grace et moi, on s'assoit l'une à côté de l'autre dans l'autobus scolaire. Sauf aujourd'hui. Parce que c'est papi Miller qui m'a emmenée à la maternelle en auto.

Il est venu jusqu'à ma classe numéro neuf.
Et il a fait un signe de la main à mon
enseignante.

Mon enseignante s'appelle Madame.

Elle a aussi un autre nom, mais je ne m'en
souviens jamais; et puis, maintenant, j'aime
bien dire Madame tout court.

Quand je suis entrée dans ma classe,
Lucille regardait les souliers neufs de Grace.
Des super espadrilles roses qui montent sur
ses chevilles.

— Salut, Grace! lui ai-je dit tout de suite.
Ils sont vraiment beaux, tes nouveaux
souliers!

Mais Grace ne m'a même pas dit merci.

— Grace est fâchée contre toi, m'a
expliqué Lucille. Elle a dit qu'aujourd'hui,
tu n'étais même pas dans l'autobus pour lui
garder sa place. Alors, à cause de toi, elle a
été obligée de s'asseoir à côté d'un garçon
dégueu. Hein, c'est ça, Grace?

Grace a fait oui avec la tête.

— C'est vrai, mais ce n'était pas ma faute! ai-je répondu. C'est parce que j'ai dormi chez mon papi et que là-bas, il n'y a pas d'autobus. Alors il m'a amené à l'école en auto.

Après, j'ai essayé de prendre Grace par la main, mais elle l'a retirée tout de suite. J'ai dit :

— Ce n'est pas très gentil, ça! Alors tu sais quoi, Grace? Je ne te dirai pas mon secret super secret à moi!

C'est à ce moment-là qu'elle m'a traitée de débile.

Lucille m'a pris la main et m'a dit :

— Moi, je ne trouve pas que tu es une débile, Junie B. Alors tu peux bien me dire ton secret. Je ne le répéterai à personne! Même pas à Grace...

Alors Grace a donné un coup de pied à Lucille. Et Lucille l'a poussée.

Et Madame est venue pour les séparer.

J'ai levé la main très poliment et j'ai dit à Madame :

— Moi, je n'ai rien fait!

Ensuite, on a dû s'asseoir et travailler un peu. On devait écrire nos chiffres. Mais moi, je n'arrivais pas trop bien à faire les miens. C'est parce que Lucille n'arrêtait pas de me parler, c'est pour ça!

— Junie B... me chuchotait-elle. Dis-moi ton super secret... Je ne le répéterai pas, je te le promets!

— Je voudrais bien, mais je ne peux pas, Lucille! Tu sais bien qu'on n'a pas le droit de parler à son voisin!

Aussitôt, Madame a fait claquer ses doigts en me regardant. Alors là, j'ai crié :

— TU VOIS, LUCILLE! JE T'AI DIT QU'ON N'A PAS LE DROIT DE PARLER À SON VOISIN! MAINTENANT, MADAME A FAIT CLAQUER SES

28

DOIGTS VERS MOI!

Le garçon qui s'appelle Jim (moi, je l'appelle Jim-la-peste), il a fait : « Chuuut! », alors je lui ai répondu :

— *Chut* toi-même, espèce de gros Jim!

Après ça, Madame est venue devant ma table jusqu'à ce que j'aie fini mes exercices. J'ai tout fini et elle a ramassé mon travail.

Là, j'étais bien contente parce que vous savez ce qu'on fait après le travail? Quelque chose de très amusant!

Un jeu qui s'appelle « Montre et Raconte ».

Madame était debout à côté de son bureau. Elle a demandé :

— Qui a quelque chose d'intéressant à faire partager à la classe, aujourd'hui?

Moi, je pensais que mon cœur allait éclater. Parce que j'avais le secret le plus spécial du monde à raconter!

J'ai levé la main très haut et j'ai hurlé très fort :

— OOOOOH! OOOOOH! MOI! MOI!
MOI!

Madame m'a regardée en secouant la tête.
Parce que ce n'est pas bien de dire *Oooooh!*
Oooooh! Moi! Moi! Moi!

Elle a nommé William. William est un
vrai bébé. Je pense que je pourrais le battre
facilement.

— William? a dit Madame. Tu as levé la
main très poliment; tu passeras donc en
premier...

Alors William a apporté un sac en papier
devant la classe. Et il en a sorti un pot avec
deux grillons morts.

Seulement, William ne le savait pas, lui,
qu'ils étaient morts. Il pensait qu'ils
dormaient. Il a dit :

— Saute, Cricri! Saute, Titi!

Et puis, il a tapé sur le bocal en verre.

— Hé! réveillez-vous là-dedans!

William s'est mis à secouer le pot dans

tous les sens. Il ne voulait plus s'arrêter. Il
criait :

— JE VOUS AI DIT DE VOUS
RÉVEILLER!

Cricri et Titi ont commencé à se défaire

en petits morceaux et Madame a dû enlever le pot des mains de William.

C'est à ce moment-là qu'il s'est mis à pleurer. Madame l'a envoyé se reposer à l'infirmerie.

Alors, moi, j'ai encore levé la main très haut.

Parce que, vous savez quoi? Ce que j'avais à raconter, c'était cent fois mieux que deux grillons morts!

5/ En chair et en os

Madame a dit mon nom :

— Junie B.? Tu voudrais nous raconter ou nous montrer quelque chose?

J'ai sauté sur mes pieds. Et j'ai couru à toute vitesse pour me mettre devant la classe.

— Vous savez quoi? ai-je demandé, très énervée. Cette nuit, ma maman a eu un bébé! Et c'est un garçon!

Mon enseignante a applaudi.

— Vous avez tous entendu? Junie B. Jones a un petit frère! C'est merveilleux, n'est-ce pas?

Tous les élèves de la classe numéro neuf
ont applaudi aussi. J'ai continué en parlant
très fort :

— Oui! Mais vous n'avez pas encore
entendu la meilleure partie! Parce que...

vous savez quoi? C'est un OUISTITI! Oui!
Mon petit frère est un vrai bébé SINGE!!!

Madame a fait une drôle de tête. Elle a
froncé les sourcils et ça lui a fait des petits
yeux. Je me suis dit qu'elle n'avait peut-être

pas bien entendu. Alors j'ai répété encore plus fort :

— MON FRÈRE EST UN BÉBÉ SINGE!

Cet imbécile de Jim s'est levé et il a crié :

— Menteuse! Ton nez va s'allonger!

— Ce n'est pas vrai, espèce de gros Jim! J'ai vraiment un petit frère ouistiti! Demande à ma mamie Miller si tu ne me crois pas!

Madame a remonté les sourcils très haut sur son front. Elle m'a demandé :

— Ta grand-mère t'a dit que ton petit frère était un singe?

— Oui! ai-je répondu. Mamie Miller a dit qu'il a des doigts et des orteils super longs. Et qu'il a plein de poils noirs partout sur le corps!

Après ça, Madame m'a regardée assez longtemps. Puis elle m'a dit que je pouvais aller m'asseoir.

— Mais je n'ai pas fini de parler de mon petit frère ouistiti! lui ai-je expliqué. Parce que, vous savez quoi? Sur le papier peint de sa chambre, il a des dessins de tous ses amis de la jungle. Et son lit a des barreaux tout autour. Mais moi, je vais lui apprendre à ne pas mordre et à ne pas tuer les gens!

Alors le garçon qui s'appelle Ricardo, celui qui a de jolies taches de rousseur sur toute la figure, m'a dit :

— C'est chouette, les singes!

— Je sais que c'est chouette! Et tu sais quoi? Je pourrai peut-être amener mon frère à l'école le jour où tout le monde a le droit d'apporter son animal préféré!

Ricardo m'a fait un grand sourire. Alors peut-être qu'il pourrait être mon petit ami. Sauf qu'il y a déjà un garçon amoureux de moi dans la classe numéro huit.

Là, Madame s'est levée et m'a dit :

— Ça suffit, Junie B.! Assieds-toi tout de suite! Nous reparlerons plus tard, toi et moi, de cette histoire de ouistiti!

Ça m'a fait rire. Parce que « ouistiti »,
c'est un drôle de mot.

J'ai fait un petit signe à mon nouveau
petit ami, Ricardo.

Puis je suis retournée à ma place en
sautillant.

6/ Les meilleures copines

La récréation, c'est là que je suis la meilleure à l'école. Je l'ai compris la première semaine.

La récréation, c'est quand on va dehors et qu'on court jusqu'à ce qu'on soit fatigué.

Après, quand on rentre, c'est plus facile de rester tranquille. Et on n'a plus de fourmis dans les jambes.

À la récréation, Lucille, Grace et moi, on joue au cheval.

Je suis Noisette. Lucille, c'est Réglisse. Et Grace, c'est Caramel.

— Hiiiii! C'EST MOI, NOISETTE! ai-je crié aussitôt qu'on a été dans la cour.

— Je n'ai pas envie de jouer au cheval, aujourd'hui, a dit Lucille. Je veux juste en savoir plus sur ton petit frère qui est un ouistiti.

— Moi aussi, a dit Grace.

Alors Lucille a poussé Grace. Et elle m'a dit un secret à l'oreille :

— Si tu me laisses être la première à le voir, tu pourras porter mon nouveau médaillon.

— Oui, mais tu sais quoi, Lucille? Je ne sais même pas ce que c'est, un médaillon.

Alors, Lucille me l'a montré. C'était un petit cœur en or, sur une chaîne.

— Il est beau, hein? m'a-t-elle dit. C'est ma grand-mère qui me l'a donné pour mon anniversaire.

Elle a ouvert le petit cœur et j'ai vu une toute petite photo à l'intérieur.

— Oh! il y a une petite tête là-dedans! me suis-je écriée.

— Je sais! a dit Lucille. C'est ma grand-mère. Tu la vois?

J'ai regardé de très près la toute petite photo.

— Lucille, ta grand-mère doit être vraiment petite!

Lucille a refermé le médaillon et me l'a tendu.

— Junie B., je suis ta meilleure amie maintenant, hein? C'est moi qui vais voir ton petit frère ouistiti la première?

À ce moment-là, Grace a tapé du pied très fort.

— Ah non! a-t-elle crié. C'est *moi*, sa meilleure copine! Parce que nous, on prend l'autobus ensemble! Alors c'est moi qui vais voir son petit frère singe la première! Hein, Junie B.? Hein?

— Je ne sais pas, Grace... ai-je répondu

en montant et en descendant mes épaules. Lucille vient de me donner son médaillon avec sa petite grand-mère. Alors je pense qu'elle va passer en premier.

Là, Grace a encore tapé du pied. Son visage avait l'air fâché.

— Tu n'es pas gentille!

Et juste à ce moment-là, j'ai eu une idée géniale!

— Eh! tu sais quoi, Grace? Lucille m'a donné quelque chose de beau, alors tu peux me donner quelque chose d'aussi beau! Je pense que ça serait juste, ça!

Grace a commencé à sourire. Elle a enlevé sa bague toute neuve.

— Tiens! m'a-t-elle dit. Je l'ai sortie d'une boîte de céréales ce matin! Regarde comme la pierre brille! C'est un vrai diamant en plastique!

Elle a soufflé dessus, puis elle l'a frotté avec sa manche.

— Ooooooh! ai-je fait. Je l'aime beaucoup, ta bague!

— Je le sais! a dit Grace. Alors maintenant, c'est moi qui vais voir ton frère ouistiti en premier! D'accord, Junie B.?

Il a fallu que j'y pense un peu.

— Oui, mais là, j'ai un problème... J'ai une chose à toi et une chose à Lucille. Alors c'est égal.

Lucille a enlevé son chandail rouge avec le petit chien écossais dessus. Elle me l'a attaché autour de la taille et elle a dit :

— Voilà! Maintenant, tu as deux choses à moi! Deux! J'ai gagné!

— Ah non, pas du tout! a crié Grace. Parce que moi, je vais donner mon coupon de collation à Junie B. Elle va pouvoir prendre mon biscuit et mon lait!

Je lui ai dit :

— Ça, c'est une bonne idée, Grace!

Et on s'est tapées dans la main.

— Ah oui? a dit Lucille. Alors, moi aussi, je lui donne mon coupon! Et ça sera encore moi, la gagnante!

Alors Grace a regardé ses vêtements.

— Ce n'est pas juste... a-t-elle dit. Je n'ai plus rien à donner...

Je l'ai bien regardée, moi aussi. Et puis, je me suis mise à sauter en l'air.

— Mais oui, Grace! Tu as quelque chose à me donner. Tes nouvelles espadrilles roses!

Grace a fixé ses pieds. Elle avait l'air très, très triste. D'une toute petite voix, elle a chuchoté :

— Oui... mais c'est seulement la première fois que je les mets...

Je lui ai donné des petites tapes dans le dos pour qu'elle se sente mieux. Et j'ai expliqué doucement :

— Je sais, Grace... Mais si tu ne me les donnes pas, tu ne pourras pas voir mon petit frère ouistiti...

Alors, Grace et moi, on s'est assises par terre. Elle a retiré ses espadrilles roses toutes neuves et me les a données. Moi, je lui ai dit très poliment :

— Merci, Grace!

Puis je me suis relevée et j'ai regardé Lucille.

— Bon! À ton tour!

Mais alors dommage, parce que cette stupide de sonnerie s'est mise à sonner!

7/ Comme on dit à l'école...

J'ai rapporté toutes mes nouvelles affaires dans ma classe numéro neuf.

Tout m'allait très bien, sauf les espadrilles roses qui étaient trop grandes. Mes pieds flottaient dedans.

Juste avant de m'asseoir, j'ai regardé la chaise rouge de Lucille et j'ai tapé dans le dos de ma copine.

— Euh... Lucille, lui ai-je dit, tu sais que le rouge est ma couleur préférée? Alors je pense que j'aimerais avoir ta chaise.

Lucille a eu l'air fâchée.

— Mais le rouge est ma couleur préférée aussi, Junie B.

Je lui ai encore tapoté le dos.

— Je sais, Lucille, ai-je dit gentiment. Mais tu dois me la donner... C'est la règle!

Alors elle m'a donné sa chaise. Et puis elle m'a demandé :

— Maintenant, c'est sûr, hein? Je suis la gagnante?

J'ai soulevé mes épaules et j'ai répondu :

— Je ne sais pas, Lucille. Grace a dit qu'elle avait peut-être des sous dans son sac.

Après ça, Madame a distribué du papier de bricolage et on a découpé des feuilles d'automne pour le tableau d'affichage.

À l'école, *feuilles d'automne*, c'est comme ça qu'on appelle les feuilles mortes.

On a recouvert nos feuilles d'automne de paillettes qui brillent. J'en ai mis aussi sur mes cheveux et sur mes sourcils.

Alors Madame m'a confisqué le pot de

paillettes. À l'école, on dit *confisquer* quand on t'arrache quelque chose des mains.

À ce moment-là, Mme Gutzman a frappé à la porte. Elle est entrée pour nous apporter nos biscuits et notre lait.

— HOURRA POUR MME GUTZMAN! ai-je crié. MADAME GUTZMAN, VOUS SAVEZ QUOI? JE VAIS AVOIR TROIS COLLATIONS AUJOURD'HUI! REGARDEZ! J'AI TROIS COUPONS!

Mon enseignante s'est approchée de ma chaise et m'a regardée. Elle m'a demandé :

— Où as-tu pris les deux coupons supplémentaires, Junie B.? Tu les as trouvés dans la cour?

Elle m'a enlevé les deux coupons supplémentaires et les a levés bien haut en l'air. Puis elle a interrogé la classe :

— Est-ce que quelqu'un a perdu son coupon de collation pour aujourd'hui?

— NON! ai-je crié. Ils sont à moi! C'est

Lucille et Grace qui me les ont donnés!

Madame a haussé les sourcils.

— Lucille? Est-ce que tu as donné ton coupon à Junie B.?

— Oui, a dit Lucille. Parce qu'elle m'a obligée...

— Ce n'est même pas vrai, idiote de Lucille! ai-je protesté. Je ne t'ai pas obligée du tout!

— Silence, a dit Madame.

Elle a croisé les bras.

— Grace? As-tu, toi aussi, donné ton coupon à Junie B.?

Grace s'est mise à pleurer. Parce qu'elle a cru qu'elle allait se faire gronder.

Madame tapait le plancher du pied. Elle a dit :

— Grace... Viens chercher ton coupon, s'il te plaît!

Grace est venue jusqu'à ma table, très lentement, en chaussettes. Madame a regardé

ses pieds. Elle lui a demandé :

— Je peux savoir où sont tes souliers, Grace?

Alors Grace, comme un gros bébé, a pleuré encore plus fort et elle a montré mes pieds. Madame s'est penchée et a crié :

— Junie B. Jones! Mais pourquoi portes-tu les souliers de Grace?

Madame avait l'air dangereuse. J'avais un peu peur.

— Parce que, ai-je répondu.

— Parce que quoi? a insisté Madame.

— Parce que c'est la règle...

Madame s'est approchée tout près de mon oreille.

— Quelle règle?

— La règle pour ceux qui veulent être les premiers à voir mon frère ouistiti, ai-je expliqué.

Madame a levé les yeux très haut vers le plafond. Elle a dit :

— Remets immédiatement tes propres souliers et suis-moi, jeune fille!

On est allées dans le couloir et elle m'a forcée à raconter tout ce qui s'était passé dans la cour.

Après ça, j'ai été obligée de rendre à Lucille son médaillon et aussi son chandail avec le chien écossais. Et j'ai dû donner à Grace la bague avec le vrai diamant en plastique des céréales.

Et puis Madame a écrit un mot. Et elle m'a dit de le porter au bureau du directeur.

Le directeur, c'est comme ça qu'on appelle le chef de l'école, et son bureau, c'est là qu'il habite.

— Oui, ai-je répondu à Madame. Mais je pense que je n'ai pas tellement envie d'aller là aujourd'hui. Ma mère va être fâchée contre moi...

Madame a encore tapé du pied sur le plancher. Et puis elle m'a pris la main.

— Alors, on y va ensemble! a-t-elle décidé. Avance, s'il te plaît!

Elle et moi, on a avancé jusqu'au bureau du directeur.

À l'école, *avance*, ça veut dire qu'on nous tire pour nous faire marcher plus vite.

8/ Le directeur!

Le bureau du directeur est une place qui fait peur.

Il y a des téléphones qui sonnent très fort dedans. Et une madame que je ne connais pas qui tape à l'ordinateur. Et une rangée de chaises pour faire asseoir les enfants pas sages.

Madame m'a fait asseoir sur une chaise bleue et elle m'a dit :

— Attends-moi ici, Junie B.!

— Mais moi, je ne suis pas méchante... ai-je murmuré juste pour moi.

Ensuite, j'ai mis mon chandail sur ma tête. Comme ça, personne ne pourrait voir que c'était moi sur la chaise des enfants pas sages.

J'ai regardé par le trou, tout au bout de ma manche, et j'ai vu Madame à la place de ma main. Elle frappait à la porte du directeur.

Elle est entrée dans le bureau. Mon cœur battait vite, vite. Parce qu'elle devait raconter toutes sortes de choses sur moi.

Au bout d'un moment, elle est ressortie.

Le directeur la suivait.

Il a un crâne tout chauve qui ressemble à du caoutchouc, le directeur.

Et puis il a aussi des mains très grandes. Et des gros souliers et un costume tout noir.

— Pourrais-je te voir une minute dans mon bureau, Junie B.? m'a-t-il dit.

Alors, il a fallu que j'y aille. Toute seule. Et que je m'assoie sur une chaise en bois très haute. Le directeur m'a demandé d'ôter mon chandail de sur ma tête.

— Qu'est-ce que c'est que cette histoire, Junie B.? Pourquoi penses-tu que ton enseignante t'a amenée ici aujourd'hui?

J'ai répondu bien calmement :

— Parce que.

— Parce que quoi?

— Parce que Grace a ouvert sa grande bouche, ai-je expliqué.

Le directeur a croisé les bras sur sa poitrine et il m'a demandé de commencer par le commencement.

C'est ce que j'ai fait...

D'abord, je lui ai raconté que j'avais passé la nuit chez mon papi Miller.

— On a mangé des gaufres délicieuses au déjeuner. Moi, j'en ai pris cinq. Et mon papi ne sait même pas où j'ai pu les mettre. En fait, je les ai mises là!

Et j'ai ouvert la bouche pour montrer au

directeur où j'avais mis les gaufres.

Ensuite je lui ai raconté que ma mamie Miller était rentrée de l'hôpital. Et puis qu'elle m'avait dit que j'avais un petit frère singe, et qu'elle l'avait juré, craché.

— Alors j'en ai parlé en classe à « Montre et Raconte ». Et, à la récréation, Lucille et Grace se sont mises à me donner plein de choses chouettes parce qu'elles voulaient toutes les deux être la première à voir mon frère ouistiti. Sauf que je n'ai pas eu de chance, parce que, en classe, Madame s'est aperçue qu'on m'avait donné les coupons de collation. Et puis, cette idiote de Grace n'a pas pu s'empêcher de parler de ses souliers. Alors on m'a fait avancer jusqu'ici et asseoir sur la chaise des enfants pas sages.

J'ai bien tiré sur ma jupe et j'ai dit au directeur :

— La fin!

Le directeur a frotté sa tête qui ressemble

vraiment à du caoutchouc.

— Écoute, Junie B. On devrait peut-être revenir au moment où ta grand-mère est arrivée de l'hôpital. Est-ce que tu te souviens *exactement* des mots qu'elle a employés pour décrire ton petit frère?

J'ai plissé le front pour mieux me rappeler. Et j'ai dit :

— Oui! Mamie Miller a dit que c'était le plus adorable ouistiti qu'elle avait jamais vu.

Le directeur a fermé les yeux. Et, tout doucement, il a dit :

— Aaah... Je crois que je comprends...

Ensuite, il a fait un petit sourire et il m'a expliqué :

— Tu vois, Junie B., quand ta grand-mère a dit que ton petit frère était un ouistiti, elle ne voulait pas dire que c'était un *vrai* petit singe. Elle voulait juste dire qu'il était... mignon.

— Je sais qu'il est mignon, ai-je répondu.

Tous les singes sont très mignons. Mais je n'aime pas les gros qui peuvent vous tuer.

Le directeur a secoué la tête.

— Non, Junie B., ce n'est pas ça que je veux dire! Je te dis que ton frère n'est pas un ouistiti du tout! C'est juste un tout petit garçon.

J'ai fait la grimace.

— Non, ce n'est *pas* un petit garçon. C'est un vrai bébé ouistiti en chair et en os avec plein de poils noirs, et des doigts et des orteils très longs. Vous pouvez demander à mamie Miller si vous ne me croyez pas!

Et alors, vous savez ce qu'il a fait, le directeur? Il a appelé ma mamie! Il l'a appelée pour de vrai au téléphone!

Et il lui a parlé. Et puis moi aussi, je lui ai parlé!

— Allô, mamie! ai-je crié dans l'appareil. Tu ne vas pas croire ce qui m'arrive ici! Le directeur dit que mon petit frère n'est même

61

pas un vrai ouistiti! Mais moi, je le sais que c'en est un parce que tu me l'as dit. Tu te souviens, hein? Tu as dit qu'il était un ouistiti, un vrai!

Alors mamie m'a répondu qu'elle était vraiment désolée, mais qu'elle n'avait pas voulu dire que c'était un *vrai* ouistiti. Elle avait seulement voulu dire qu'il était très *mignon*.

Exactement comme le directeur me l'avait expliqué!

Alors, je me suis sentie toute molle à l'intérieur. J'ai dit :

— Oui... mais sa crinière toute noire? Et ses doigts et ses orteils qui sont longs? Et son lit qui ressemble à une cage? Et le papier de sa chambre avec tous ses amis de la jungle dessus?

Mamie Miller a quand même continué de répéter que mon petit frère était seulement un bébé très mignon. Alors, moi, au bout d'un moment, je ne voulais plus lui parler et j'ai raccroché!

J'ai baissé la tête très bas. Je sentais bien que j'avais du mouillé dans les yeux.

— Ce n'est pas juste! ai-je dit tout bas.

Après, le directeur m'a donné un mouchoir en papier. Et puis il m'a dit qu'il était désolé.

Il m'a pris la main.

Et puis, il est retourné avec moi jusqu'à ma classe numéro neuf.

9/ Renards, abeilles et compagnie!

Le directeur est entré avec moi dans ma classe numéro neuf.

Il a frappé dans ses mains géantes et a dit :

— Les enfants? Pourrais-je avoir votre attention, s'il vous plaît? Je voudrais vous expliquer ce qui s'est passé à « Montre et Raconte », aujourd'hui. Il s'agit de Junie B. Jones et de son petit frère qui vient de naître...

C'est alors que Jim-la-peste a sauté de sa chaise. Et il s'est mis à crier :

— Ce n'est pas un ouistiti, hein? C'est ça? Je le savais! Je savais que ce n'était pas du tout un ouistiti!

Je lui ai montré mon poing et j'ai crié aussi :

— TU VEUX QUE JE TE METTE MON POING SUR LE NEZ, ESPÈCE DE GROS JIM?

Le directeur a froncé les sourcils, alors je lui ai fait un beau sourire.

— Je le déteste, celui-là, lui ai-je expliqué.

Le directeur a pris une grande inspiration.

— Les enfants, a-t-il dit. Si Junie B. vous a raconté que son petit frère était un ouistiti, c'est qu'elle avait une bonne raison de le croire.

— Ah oui! l'ai-je interrompu. C'est la faute de ma mamie Miller! Parce que c'est *elle* qui me l'a dit! Elle ne voulait pas dire que c'était un *vrai* ouistiti, mais seulement qu'il était très mignon. Mais comment voulez-vous que je sache ça, moi?

Le directeur a encore froncé les sourcils.

Et puis il a repris la parole :

— Vous voyez, les adultes disent parfois des choses très troublantes pour des enfants. Par exemple, si vous m'entendiez parler un jour d'un fin renard, vous pourriez penser que je parle d'un vrai renard. Eh bien non! Un fin renard, c'est seulement quelqu'un de très rusé!

— Eh oui! a ajouté Madame. Et quand on dit que quelqu'un est une petite abeille, cela ne veut pas dire que c'est une *vraie* abeille, mais simplement qu'il travaille très fort!

— Ouais! ai-je crié, tout énervée. J'en connais un autre! Quand on dit : « C'est un âne! », ce n'est pas un vrai âne! C'est juste quelqu'un d'idiot!

Alors ma copine Lucille a levé la main.

— Moi aussi, j'en ai un, a-t-elle dit. Des fois, ma mamie dit que mon papa est une perle. Mais il n'est pas une *vraie* perle; il est seulement très gentil!

— Oui! Et moi, je ne suis pas un vrai cochon, a dit Ricardo, mon nouveau petit ami. C'est juste ma mère qui dit ça quand je mange.

Et alors, il y a plein d'élèves qui ont dit que, eux aussi, ils mangeaient comme des cochons!

Mais pas le garçon qui s'appelle Donald. Lui, il a dit qu'il avait un appétit de loup.

Et aussi ce bébé de William qui mange plutôt comme un oiseau.

Et puis, le directeur et moi, on s'est dit au revoir. Et je suis retournée à ma place.

J'ai rendu sa chaise rouge à Lucille. Elle a été gentille avec moi. Elle m'a chuchoté :

— Je suis désolée, Junie B., que ton petit frère ne soit pas un vrai singe!

J'ai dit :

— Merci, Lucille. Moi, je suis désolée aussi que ton papa ne soit pas une vraie perle!

Après ça, la sonnerie de la fin de l'école a sonné. Alors, Lucille, Grace et moi, on est sorties en se tenant par la main.

Et là, il y a eu quelque chose de merveilleux. J'ai entendu la voix de ma mère!

— JUNIE B.! PAR ICI, MA PUCE! ON
EST LÀ, PAPA ET MOI!

J'ai regardé dans le stationnement et
je l'ai aperçue! Alors j'ai couru vers elle
très vite. Puis, maman et moi, on s'est

embrassées, embrassées. Parce que ça faisait toute une journée que je ne l'avais pas vue!

Puis mon papa est sorti de la voiture. Il tenait une petite couverture jaune dans ses bras. Et vous savez ce qu'il y avait dedans?

Mon nouveau petit frère, c'est ça qu'il y avait dedans!

Il était tout petit. Et tout rose. Sauf les cheveux noirs sur la tête. Je les ai touchés. C'était doux.

À ce moment-là, Ricardo est passé à côté de nous. Et il a vu mon tout petit frère.

— Ça, c'est des beaux cheveux! a-t-il dit. Je lui ai fait un sourire jusqu'aux oreilles et je lui ai répondu :

— Je le sais, Ricardo! Et tu sais quoi? Il ne sent même pas la boule puante!

Après, je suis montée dans notre voiture. Et j'ai parlé à maman du médaillon de Lucille. Elle a dit que je pourrais peut-être en avoir un aussi! Et que je pourrais mettre la

toute petite tête de mon tout petit frère
dedans!

— Oui. Et j'aimerais bien avoir aussi des
espadrilles roses, s'il te plaît, ai-je demandé
très, très poliment.

— Peut-être... a répondu maman.

— Youpi! ai-je crié.

Parce que *peut-être*, ça ne veut pas dire
non, c'est pour ça!

Ensuite, j'ai soulevé la couverture pour
regarder encore une fois mon tout petit frère.

— Eh bien? m'a demandé maman.
Comment tu le trouves, Junie B.?

J'ai fait un grand sourire.

— Je pense que c'est le plus adorable
ouistiti que j'ai jamais vu!

Maman a ri.

Et moi aussi, j'ai ri.